LIFE CAN
BE
BEAUTIFUL

BREATHE

THERE
ARE NO
LIMITS

I AM
LOVED

I LOVE
ME

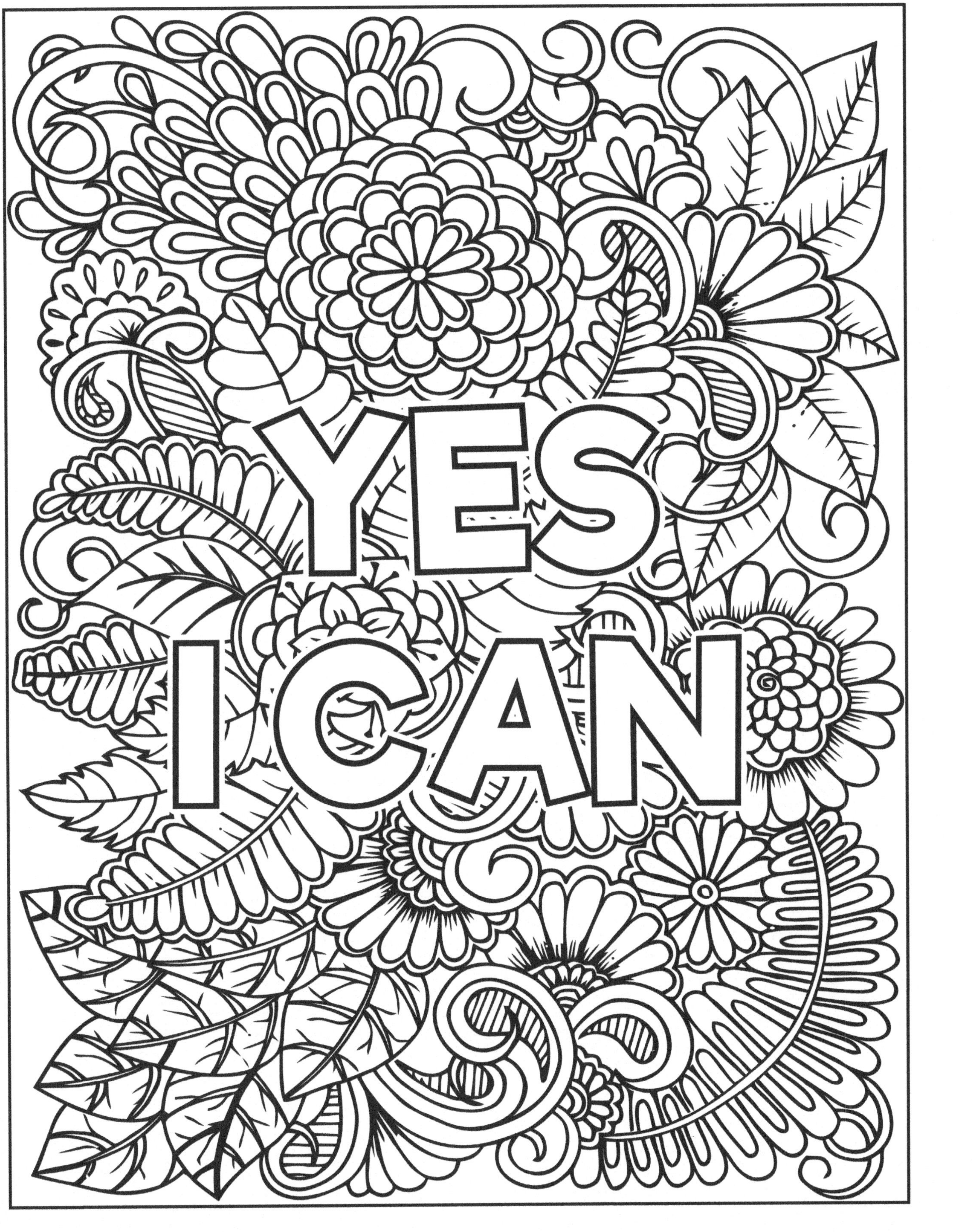
YES
I CAN

FOR ME,
I WILL

I AM...

BEAUTY

PEACE

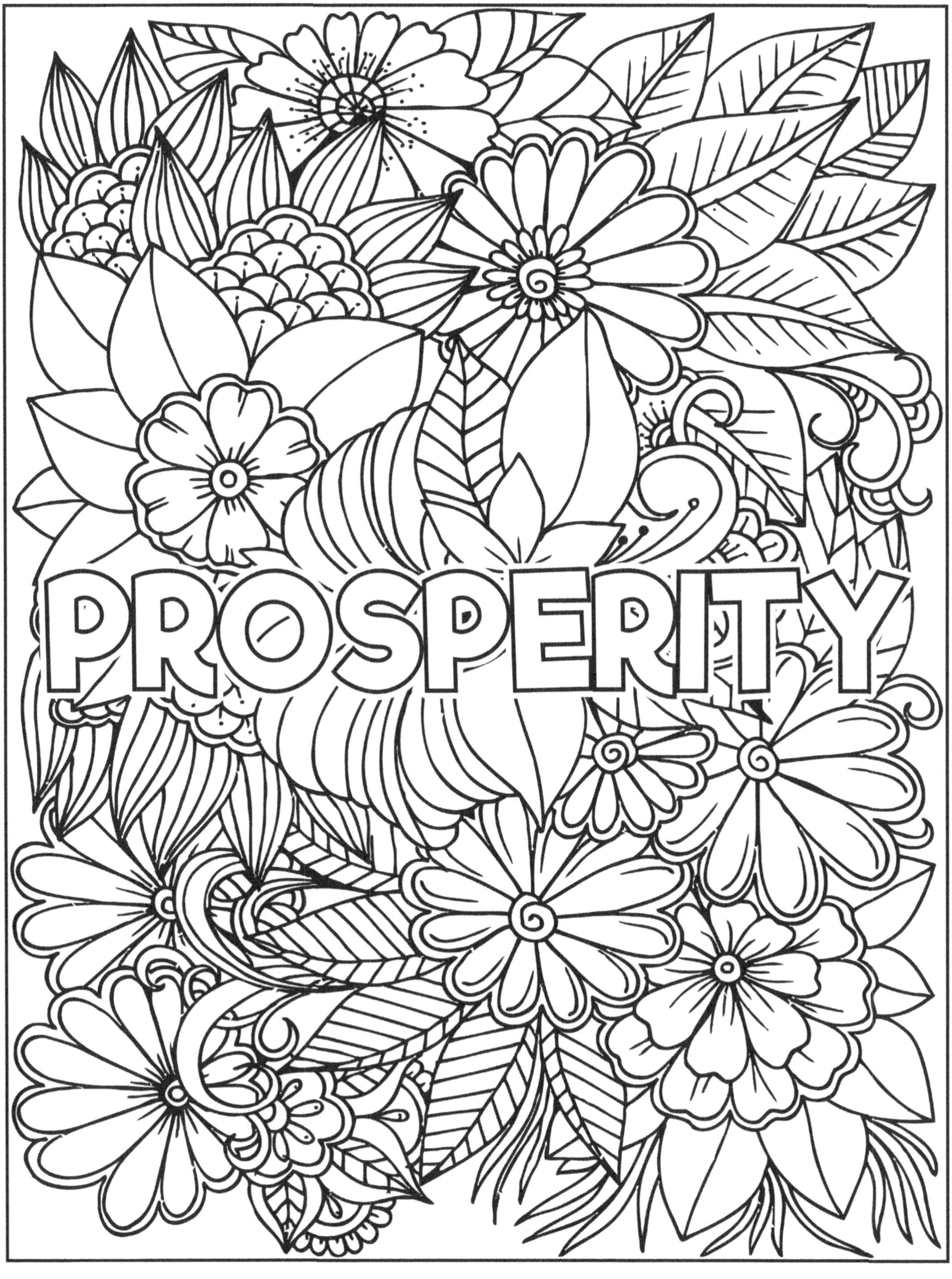
PROSPERITY

LOVE,
JOY AND
HAPPINESS

PHENOMENAL,
THAT'S ME

I CAN
DO ALL
THINGS

DON'T
WORRY,
BE HAPPY

NO
STRESS
ZONE

BALANCE

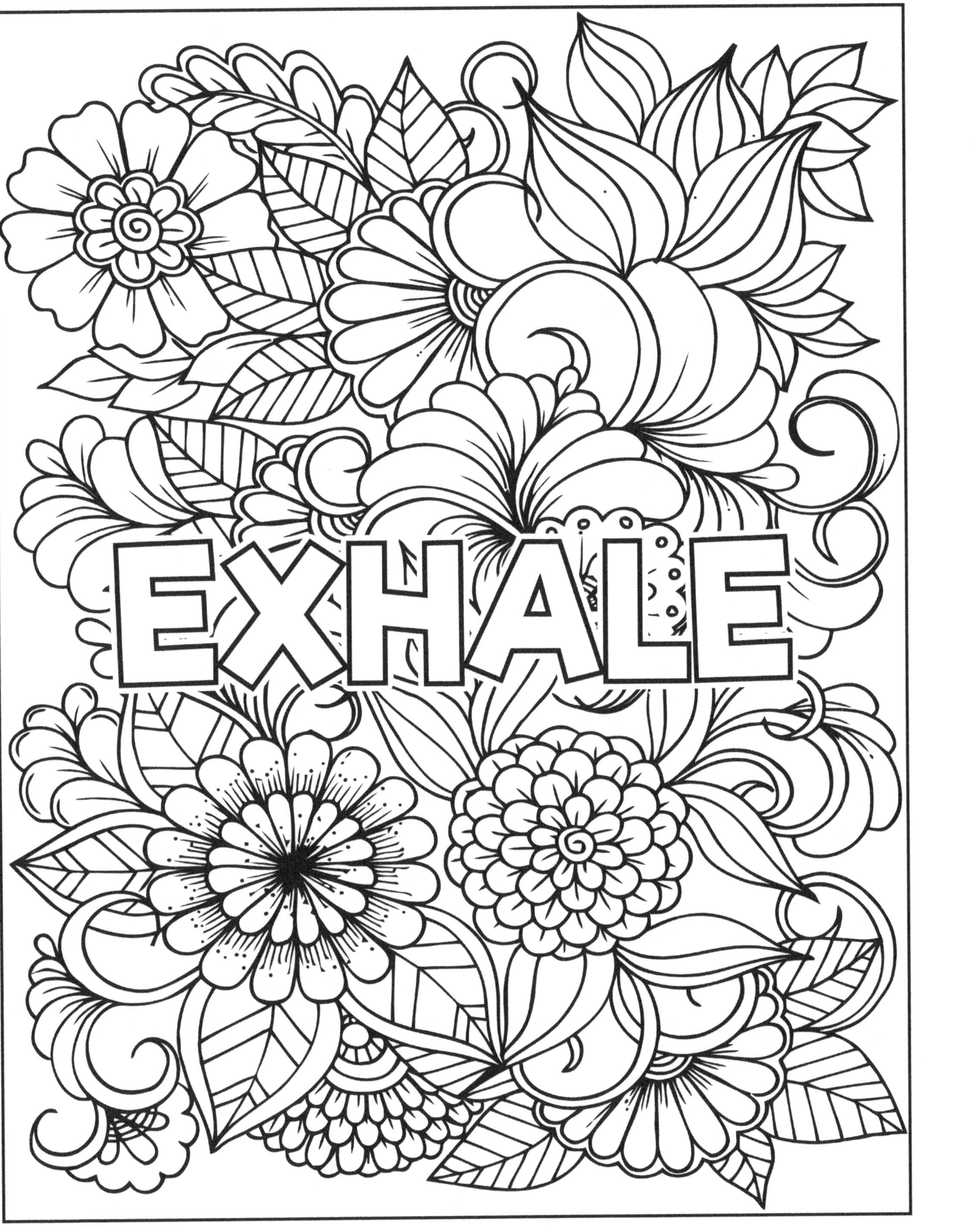
EXHALE

LIVING
MY
DREAM

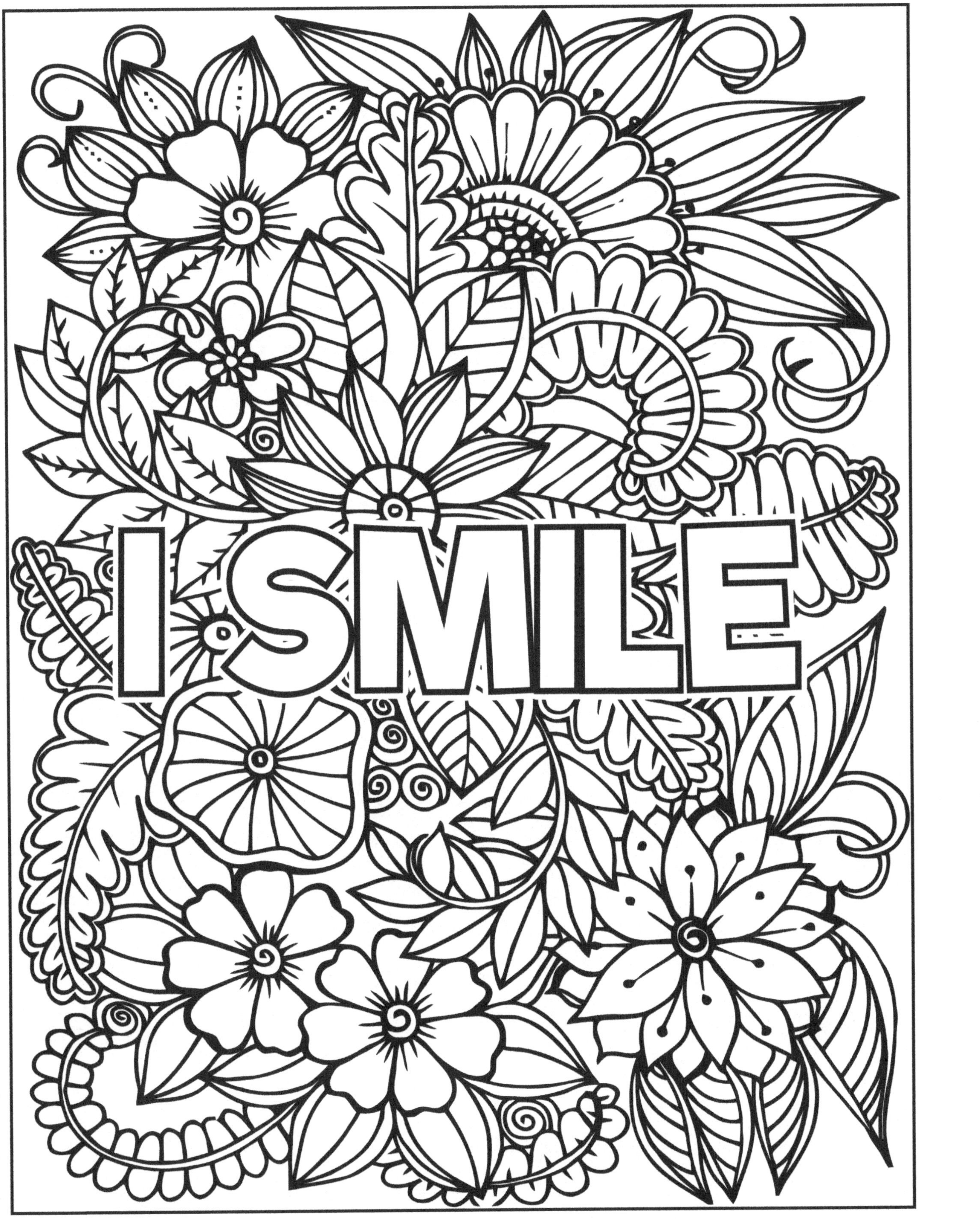
I SMILE

PROGRESS
NOT
PERFECTION

WINNING

THE
POWER
WITHIN

NO
DRAMA

CELEBRATING
ME

I BELIEVE
IN ME

NEVER
GIVE
UP

SEE THE
VISION

I AM
STRONGER

PATIENCE
AND
PERSEVERENCE

SHINE

FIGHT
ON

FOCUS
AND
PRIORITIZE

CHANGE
IS GOOD

REACHING
MY
DESTINY

NO
EXCUSES

EMPOWERING
ME

NOTHING
IS
IMPOSSIBLE

I AM
WORTH
IT

JUST
DO IT

WORK
HARD, PLAY
HARD

LISTEN
MORE, SPEAK
LESS

INSPIRE
OTHERS

KEEP
MOVING

DREAM
AND DO
THE WORK

IT'S UP
TO ME

WHY
NOT
NOW?

THIS IS
MY TIME

SUCCESS

DON'T
HATE,
APPRECIATE

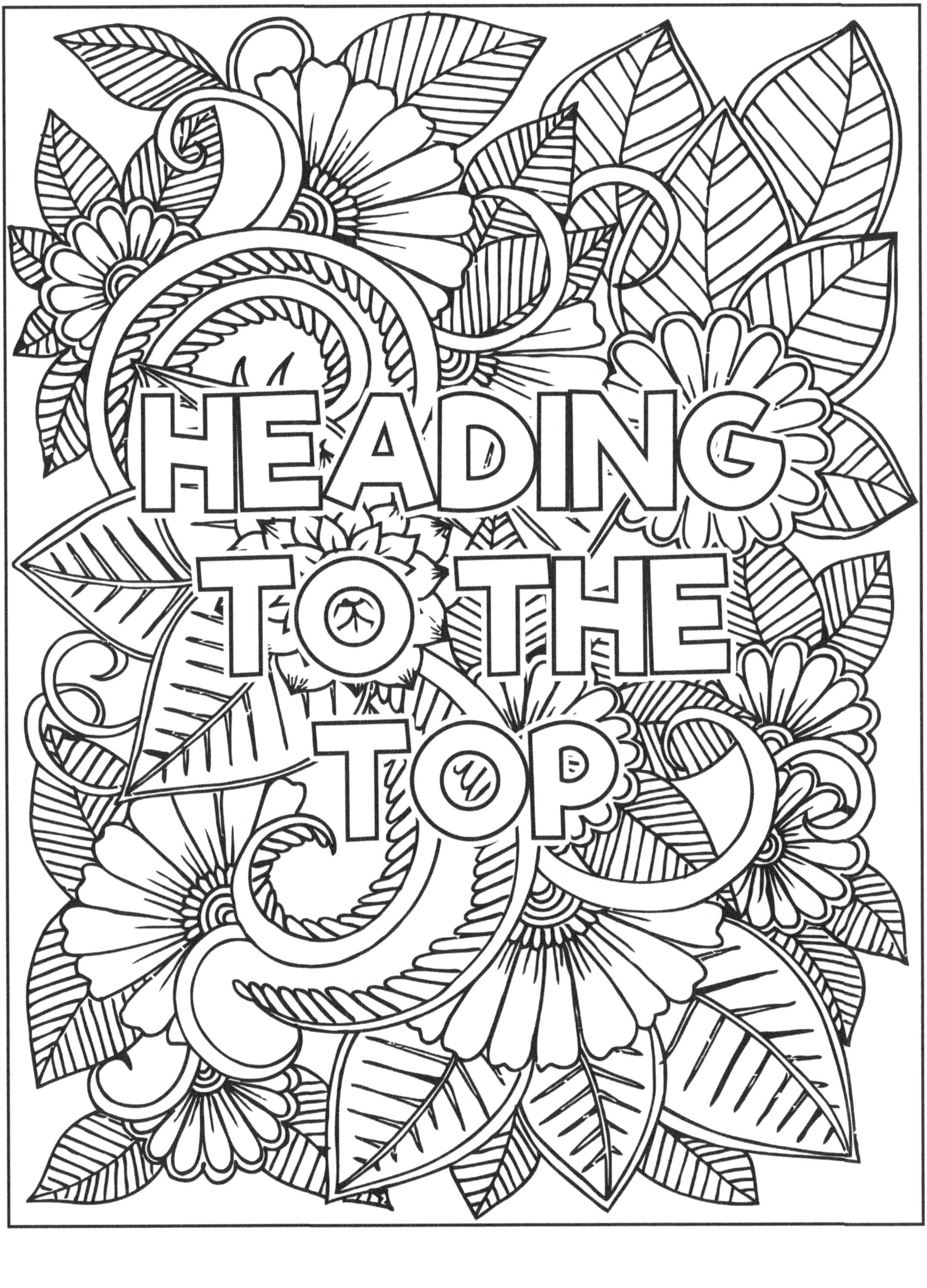
HEADING
TO THE
TOP

GRATEFUL

I AM
STRONGER

QUALITY,
NOT
QUANTITY

REACHING
GOALS

I CAN
AND
I WILL

TODAY
IS A
NEW DAY

SAYING
NO IS
OKAY

I AM
AMAZING

MAKING
IT
HAPPEN

I'VE
GOT THIS

NEW
BEGINNINGS

UNSTOPPABLE

FAILURE
IS NOT AN
OPTION

I TRUST
ME

DREAMS
ARE
MADE HERE

NEVER
STOP
LEARNING

AWESOME,
NOT
AVERAGE

LIVING
MY
PURPOSE

RELAXATION
TIME

ATTITUDE
IS
EVERYTHING

NO
NEGATIVITY

NEVER
SAY
NEVER

CHANGING
MY
WORLD

I AM
ENOUGH

Made in the USA
Middletown, DE
11 June 2022

66930819R00086